KU-141-329

peir ar do liathróid.
Táimid ag an
sorcas anois.

CAVAN COUNTY LIBRARY

Cavan County Library
Withdrawn Stock

Ceart go leor.
Tá sí agam!

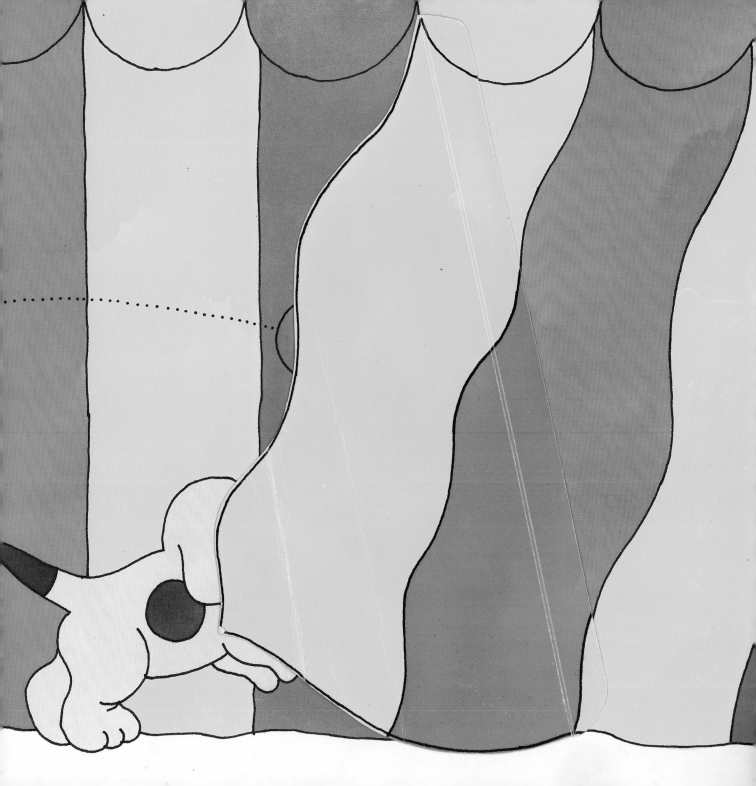

Gabh mo leithscéal an bhfaca tú mo liathróid?

Muintir an tSorcais amháin →

Sin í ansin! Meas tú, cé atá ina chónaí anseo?

Ní agatsa atá mo liathróid?

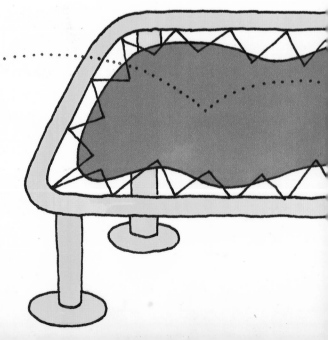

Tá súil agam nach ina bhéal siúd atá sí!

Feicim í!
Tá sí ag an
mbéar!

Ní fhaca tusa mo liathróid, is dócha?

Hurá!
Beir greim
uirthi!

Ar deireadh tagann Bran suas leis an liathróid.

An-chleas é sin!

An